wachsende liebe

meditationen über die ehe

von

ulrich schaffer

mit fotografien des autors

oncken verlag wuppertal und kassel

7. Auflage 1983

illustration, umschlagfoto und umschlaggrafik:
ulrich schaffer
gesamtherstellung: breklumer druckerei manfred siegel

isbn 3-7893-7076-2

für waltraud
für das teilen von
freude
liebe
ärger
verzweiflung
leib
seele
geist
freizeit
geld
angst
schmerz
freude

liebe ist die einzige kraft
die dinge vereinen kann
ohne sie zu zerstören.

–teilhard de chardin

drei ehen

weil es so wenig überzeugende und interessante ehen gibt, ist die ehe für viele heute indiskutabel und langweilig geworden. fragt man junge leute, ob sie wenigstens *eine* ehe kennen, welche ihnen als modell dienen könnte, so hört man oft ein »nein«, oder es folgt betretenes schweigen. die ehen der christen bilden hier kaum eine ausnahme. es fehlen uns einfach exemplarische ehen, von denen wir lernen können, wie es möglich ist, miteinander zu leben, ohne einerseits in dem verhältnis unterzugehen und als person zu sterben oder andererseits einander gegenüber gleichgültig zu werden.

dies buch ist eine reihe von überlegungen zur ehe, geschrieben zu einer zeit, in der viele die ehe als überholt ansehen. manch einer empfindet sogar die feste, bindende entscheidung zu einem menschen hin als schwäche, als unzeitgemäß und konservativ. aber gibt es eine andere möglichkeit, tiefe, reife verhältnisse herzustellen, als durch die klare entscheidung zu einem anderen menschen hin und die bereitwilligkeit, mit dem anderen zu wachsen?

ich möchte drei ehen beschreiben.

die erste ehe ist die traditionelle, konservative ehe, in der die rollen und pflichten klar festliegen. in dieser ehe werden die schriften von paulus betreffs der rolle der frau oft zitiert, ohne daß viel darauf geachtet wird, in welchem zusammenhang sie geschrieben wurden. diese ehen sind vorhersagbar. die partner wissen, was von ihnen erwartet wird, und versuchen, sich dementsprechend einzurichten. diese ehen sind »abgesichert« und »geschützt«, weil es in ihnen nicht viel offenheit für neue wege miteinander gibt. alles ist vorgeformt, und die partner müssen in die formen hineingepaßt werden.

es herrscht viel tod in diesen ehen, weil oft die eigentlichkeit des anderen abgelehnt wird. wahre gefühle werden abgewürgt, verneint und unterdrückt. oft spiegeln diese ehen eine welt wider, die es nicht mehr gibt. es besteht keine wahre verbindung zur welt, und diese ehe hat darum auch keine schöpferischen vorschläge zur bewältigung dieser sich ständig verändernden welt – einer welt mit zukunftsschock, welthunger, mit der pille, wohlstand, drohendem atomkrieg und women's liberation.

anstatt wachstum gibt es in dieser ehe viel wiederholung und rollenspielen.

die zweite ehe ist in vielem das genaue gegenteil der ersten. alles ist offen und erlaubt. beide partner geben einander »volle freiheit«, nach belieben zu handeln, vielleicht sogar sexuell intim außerhalb der ehe zu sein, alles im namen dieser »freiheit«. diese ehe will nicht die fehler der ersten ehe machen. der partner soll nicht unterdrückt werden. aber in dieser großen freiheit sterben die partner in der kälte der isolierung und entfremdung. es gibt wohl keine festgefahrenen rollen, aber es gibt auch keine echte, tiefe entscheidung zum anderen hin. man gibt sich nicht viel mühe, die tiefen im partner zu entdecken und mit den unterschieden so zu leben und zu arbeiten, daß beide dabei wachsen.

anstatt wachstum gibt es in dieser ehe viel indifferenz und unempfindlichkeit.

die dritte ehe ist schwierig zu definieren und zu erfassen. wohl gibt es in ihr keine rollen, aber doch gibt es tiefe, bindende entscheidungen zueinander. wohl gibt es freiheit, aber diese führt nicht zur indifferenz. ehen und verhältnisse dieser art wagen sich auf neuen boden, versuchen, das ungeheure potential einer solchen wachstums-gemeinschaft zu aktivieren. dies sind »gefährdete« ehen, weil sie sich ständig verändern, ständig im werden begriffen sind. es gibt kein »sich in rollen verstecken«. sie sind unvorhersagbar, weil sie sich auf das leben des anderen und auf die umwelt einstellen. sie sind voller überraschungen. diese ehen sind spannend anzusehen, weil sie ein seiltanz zwischen den beiden anderen alternativen sind. sie werden allein durch ihren glauben gehalten und können es so wagen, pionierarbeit zu leisten.

das zeichen dieser ehe ist die enge zusammengehörigkeit von freude und schmerz, weil im vollen erleben des partners immer freude und schmerz, begeisterung und enttäuschung, glücksgefühl und trauer eng beieinander liegen. in dieser ehe ist raum für die ganze skala der gefühle. nichts muß unterdrückt werden. beide nehmen sich selbst und den anderen ernst. einer hilft dem anderen zu wachsen, neue möglichkeiten in verschiedenen lebensgebieten zu erkennen und zu realisieren.

die überlegungen dieses buches müssen im licht dieser dritten ehe verstanden werden. ich habe versucht, gebiete zu berühren, wo oft schwierigkeiten entstehen und wo wir lernen müssen, diesen schwierigkeiten schöpferisch zu begegnen. ich habe versucht, mich von standard-antworten zu lösen: »das darfst du nicht denken!« oder »das ist richtig/falsch!« oder »das mußt du nicht sagen!« diese aussagen geben uns gewöhnlich keine neuen einsichten und helfen uns nicht zu wachsen.

es ist natürlich klar, daß dieses buch nicht jedes problem anspricht. es berührt gewisse bereiche der ehe nicht und widmet sich anderen wiederholt. in mancher weise ist es natürlich auch aus dem erleben meiner ehe geschrieben. ich habe versucht, die nöte und schwierigkeiten so zu sehen, wie sie oft in der ehe vorkommen, ohne verschönerung, aber doch nicht in hoffnungslosigkeit. ich glaube, es gibt keine ehe in der dritten gruppe ohne handfeste schwierigkeiten. das ist der preis, den wir für das wachstum zahlen, aber gerade darin besteht ja auch die herausforderung, aus unserer ehe etwas besonderes zu machen.

dies buch ist kein handbuch zur ehe, sondern mehr eine einladung mitzudenken, die texte als orientierungshilfe zu benutzen und in den dialog mit einzusteigen. wir können soviel voneinander lernen. für manche von uns ist dies eine frage des überlebens geworden: wenn wir nicht neue wege finden, miteinander zu leben, so stirbt unsere ehe, ganz gleich, ob wir auseinandergehen oder zusammenbleiben. es gibt viele geschiedene ehen, die auf dem papier noch ehen sind.

ich wünsche der leserin/dem leser, daß sie/er die aussagen in diesem buch auf das eigene verhältnis übertragen und übersetzen kann. wo dies passiert und neue einsichten über das eigene leben gewonnen werden, haben diese texte ihren zweck erfüllt.

ulrich schaffer
7320 ridge dr.
burnaby, b.c. canada

mai 1978

der dialog des schmerzes und der freude

durch schmerzen verbunden

ich leide
  wenn du mich abweist
du weinst
  wenn du mich nicht verstehst
ich gebe auf
  wenn du mich kurz abfertigst
du bekommst angst
  wenn ich nicht rede
ich fühle mich unzureichend
  im lichte deiner forderungen
du verlierst die hoffnung
  wenn sich nichts verändert
ich fühle mich gelähmt
  wenn du nicht antwortest
du bist erschüttert
  über meine gleichgültigkeit
ich bin verärgert
  über deine starrköpfigkeit
du bist verwirrt
  wenn ich so entschieden bin
ich verwunde dich
  wenn ich mich aus deinem leben ausgeklammert
  fühle
du verletzt mich
  auf deiner suche nach dir selbst

wir werden zusammengeschweißt
durch unseren gemeinsamen schmerz
untrennbar und getrennt
allein und zusammen
abhängig und unabhängig
unser verhältnis ist erfüllt
mit dem paradox des lebens

wir müssen nicht sprechen
über richtig und falsch
über recht und unrecht
sondern uns konzentrieren
auf das wachsen im schmerz

wachstum ist die einzige alternative
zu einem leben des schleichenden todes
der uns teilnahmslos und gleichgültig macht

für uns
die wir gott lieben
hat alles sinn und bedeutung
und wenn wir gott lieben
tragen alle dinge
zu unserem wachstum bei

wenn wir uns erkennen

deine augen nehmen auf
was ich sage
ich sehe daß du meinen worten nachgehst
und über sie hinausgehst

und zusammen drängen wir vorwärts
erobern neue ideen
und denken was wir bisher nie gedacht haben
zusammen erfahren wir die große freude
in einer faszinierenden welt zu leben

wir sind nicht getrennt sondern eins
unsere leben berühren sich an vielen punkten
und ich sehe dich
wie ich dich nie zuvor gesehen habe

und es geht mir auf
daß unser verhältnis ein wunder ist
weil darin die liebe gottes
in einer gefallenen welt sichtbar wird

wir sind unendlich reich
einander zu haben
und gemeinsam in die ebenbildlichkeit gottes
hineinwachsen zu können

entscheidung zu heiraten

die entscheidung dich zu heiraten
fiel mir sehr schwer
weil ich mir vorstellte
daß ich meine freiheit verlieren
und gebunden sein würde
und das nicht mehr tun könnte
was ich bis dahin getan hatte

ich stellte mir vor
wie ich meine individualität verlieren
und ein durchschnittstyp werden würde
grau in grau und langweilig
ich hatte angst daß keiner meiner geheimen träume
in erfüllung gehen würde

und ich hatte angst vor deinen erwartungen
deinen projektionen und wünschen
und manchmal meinte ich
daß du mich eigentlich nur lieben könntest
weil du mich noch nicht wirklich kanntest

dann hatte ich angst
eine falsche entscheidung zu treffen
weil ich nicht wirklich wußte was ich wollte
und wen ich wollte
und was ich mir von dieser person erhoffte
und ich hatte angst weil ich wußte
daß es kein zurück mehr gibt
in der einbahnstraße der ehe

und all diese ängste machten mich so gereizt
so unsicher und defensiv
und ich bin dankbar für deine geduld mit mir
und für dein verständnis für meine verwirrung

rückblickend weiß ich
daß all meine ängste berechtigt waren
weil das alles gefahren für die ehe sind
denn um mich herum sehe ich die verunglückten ehen
aber ich merke daß es die gefahren
auch außerhalb der ehe gibt
daß ich von allen seiten bedroht werde
ob ich nun heirate oder nicht

und ich weiß daß alles schlecht ausgehen wird
wenn ich alles laufen lasse
wenn ich mich entscheide meine hoffnung
meinen glauben und meine träume aufzugeben
wenn ich zulasse daß meine originalität austrocknet
und wenn mein leben nur vom gefühl her regiert wird

wenn ich nicht volle verantwortung trage
für meine entscheidungen
und das vorrecht entscheidungen zu treffen

wenn ich neben dir aufwache

ich wache neben dir auf
weil du dich von einer seite auf die andere drehst
verfolgt durch einen schlechten traum
beschwert durch das gewicht des lebens
und ich merke wie du älter geworden bist

in deinem gesicht sehe ich
wieviel zeit vergangen ist
und mein gesicht macht die gleiche aussage
jahre liegen hinter uns
die wir nicht zurückholen können

hier sind wir
an ein rollendes rad gebunden
und sekunden minuten stunden und tage
laufen unaufhörlich ab
unausweichlich gehen wir auf ein ende zu

wenn ich dich neben mir auf dem kissen sehe
überlege ich mir neu
was uns zusammengehalten hat

nicht geld
nicht schönheit
nicht daß wir zueinander passen
nicht die angst vor dem alleinsein
nicht die hoffnung nie alt zu werden
aber die entscheidung für einander und zu einander
eine entscheidung ohne schuldgefühl
und ohne druck getroffen

eine entscheidung voller hoffnung gemacht
hoffnung daß wir veränderbar sind
daß wir uns beide noch entwickeln

hoffnung nicht auf grund von guten handlungen
hoffnung nicht nur auf mich selbst gesetzt
oder auf die kraft der versöhnung
sondern hoffnung weil wir beide wachsen wollen
um den reichtum des lebens zu erfahren
und die unvorhersagbarkeit des lebens
lieben zu lernen

hoffnung und glauben
in uns hineingelegt
durch den geist gottes
nur das hält uns zusammen

wenn ich dir gefallen will

ich bin sehr froh daß du mich liebst
und daß du es mir sagst
aber bitte erwarte jetzt nicht
daß ich dir das gleich sage

zu einer anderen zeit werde ich es sagen
und ich werde es sagen
ehe du es denkst oder erwartest

ich will nicht nur reagieren
und mich verpflichtet fühlen zu sagen:
ich lieb dich auch

ich muß wissen was ich fühle
ohne fingerzeig von dir
ich muß in mich hineinsteigen
und ehrlich sein
weil oft mein wunsch dir zu gefallen
und etwas nettes von dir zu hören
meiner liebe zu dir im wege steht

unter druck

wie befreiend ist es für mich
wenn ich dich einfach sein lassen kann
dich . . . einfach . . . so lasse . . . wie du bist . . .

zu wissen
daß ich nicht verantwortlich bin für dich
daß du deinen eigenen frieden mit gott finden mußt
daß du deine eigenen entscheidungen treffen mußt
daß du dich selbst finden mußt

ich bin da
wenn du mich brauchst
aber ich will mich nicht aufdrängen
will dir meine ideen nicht aufdrängen
auch dann nicht wenn ich sie besser finde als deine

ich werde mich zurückhalten
und dich nicht unter druck setzen
und dir so raum zur veränderung geben
wenn du dich verändern willst

einen augenblick

können wir nicht einen augenblick lang aufhören
weil wir beide am boden sind
beide durcheinander und uns quälen?
können wir nicht alles so stehen lassen
wie es zur zeit steht
auch wenn alles unklar zwischen uns ist?

wir sind dem punkt nahe
an dem alles zerbrechen kann
und nur eine kleine belastung nötig ist
  nur ein kleines wort
  ärgerlich und unachtsam gesagt
um uns restlos fertig zu machen
und dann sagen wir dinge
die wir nicht wirklich meinen
und handeln in einer art
die uns selbst fremd ist
und die uns die nächsten wochen hindurch
beschweren und niederdrücken wird

wenn ich verletzt bin
kann ich nicht unterscheiden
zwischen dem was ich wirklich meine
und dem was ich nur sage
um dir eins auszuwischen

weißt du
daß ich dich liebe
auch wenn ich so seltsam handle?

alles läuft glatt

es ist so still geworden zwischen uns
während wir unseren pflichten nachgehen
und erwartungen gerecht werden

aber ich habe angst vor dieser stille
weil ich weiß daß genug dinge anliegen
die wir klären müßten
fragen die wir besprechen sollten

alles läuft so glatt
daß ich mich manchmal frage
ob wir uns nicht still und heimlich kompromittieren
und dann später in unserer ehe
teuer dafür bezahlen müssen

toleranz ist oft das beste zeichen
daß wir angst haben zuzugeben was ist
und was nicht ist
und ein zeichen für die schleichende verschleppung
von dingen die ausgepackt und angepackt
werden sollten

da wo wir schnelle kompromisse schließen
laufen wir gefahr
abneigung und frustration zu schaffen
die sich anstaut
und am ende explodiert
und alles verdirbt

wir wollen aufwachen
für den reichtum der liebe
und für die spannung und freude
in unserem verhältnis

bitte laß mich

bitte laß mich
halte deine freundlichkeit zurück
und deine zärtlichkeit
und deine fragen und antworten
gib mir raum mich zu sammeln
in mich hinein zu hören
und herauszufinden wie ich dich sehe

bitte respektiere meine absonderung
in der ich mir überlegen kann
wer du in meinem leben bist
und was ich für dich empfinde
und über dich denke
ich brauche diese stille
denn sonst werde ich mir weiter unklar sein
über dein sein in meinem leben

bitte bedränge mich nicht
wie du es manchmal tust
steh nicht so dicht neben mir
denn wenn du das tust
entferne ich mich von meinem zentrum
und kann unser verhältnis nicht klären

dich »erkennen«

und adam erkannte eva,
und sie ward schwanger
und gebar den kain.
1. mose

weil du mich in dein leben eingeladen hast
und dich vorbereitet hast mich zu empfangen
darum habe ich versucht dich kennenzulernen
mich dir zu nähern
einzutreten in die geheimen schlupfwinkel
 deiner seele
zu verstehen was dich bestimmt
zu erfahren was dir angst macht
mich mit dir durch die windungen deines gehirns
 zu quälen
deine unruhe zu durchleiden
mit dir gemeinsam ratlos zu sein
dir meine sentimentale liebe zu versagen
 als ein zeichen wahrer liebe
dir den abgrund in dir zu zeigen
 den wir sicherheit nennen
 der uns aber von der suche abhält
dich in aller nacktheit zu sehen
ohne masken
mit dir den fall und die auferstehung zu erleben

und auch ich habe mich dir gezeigt
ich habe mich dir offenbart
 bis hin zur peinlichkeit
ich habe dir mein durcheinander nicht verheimlicht

ich habe meine sehnsüchte mit dir geteilt
so unerreichbar
so unrealistisch
du hast mich mit geballten fäusten gesehen
mit tränen
in der verwirrung des unglaubens
und außer mir vor freude
so hast du mit mir gelebt
du hast gegeben und genommen
zusammen haben wir geträumt
gelacht und gelitten

und jetzt
als zeichen unseres gegenseitigen erkennens
in dem bewußtsein
daß noch viel zu erkennen sein wird
als verdeutlichung dessen was ist
und in erwartung dessen was sein wird
können wir unsere körper
miteinander verschmelzen lassen
und alle trennung für einen moment auslöschen
und heil sein

im erkennen und erkanntwerden
in der verquickung unserer leben
werden wir neues leben hervorbringen
denn in uns tragen wir die frucht
der vereinigung von körper seele und geist

müdigkeit

mit angst
stelle ich fest
daß müdigkeit mich erfaßt

ich habe nicht genug energie
wieder zu vergeben
neu zu beginnen
das vergangene hinter mir zu lassen

das leben stürmt vorbei
und ich beteilige mich nicht
du stürzt vorbei
und in mir wird keinerlei gefühl wach

jetzt
mit letzter energie
nehme ich kontakt mit dir auf
und trotz meiner gleichgültigkeit dir gegenüber
merke ich neues leben aus diesem kontakt erwachsen
und meine schwäche ist überwunden
indem ich mich damit auseinandersetzte
was mich zuerst müde gemacht hat

und langsam wächst die freude
aus schwachheit und schmerz

Ich möchte vor dir fliehen

das leben bietet mir möglichkeiten
vor dir zu fliehen
nicht mit jemand anderm wegzulaufen
nein nichts so offensichtliches
aber mich fast unmerklich zurückzuziehen
mich meiner arbeit mehr zu widmen
unseren kindern
mich mit büchern und reisen zu beschäftigen
ablenkungen zu finden
zerstreuungen zu suchen
alles auf kosten unseres verhältnisses

vielleicht finde ich es zu anstrengend
mich mit dir zu verständigen
oder ich habe angst um meinen verstand
wenn ich mich noch mehr mit deinen gedanken ein-
lasse
oder ich finde es einfach zu schwer
durchzudringen zu dir

dann kommt die versuchung vor dir zu fliehen
den einfachsten ausweg zu suchen
mich weniger mit dir einzulassen
weniger zeit zu haben
abzuschalten wenn du redest
zu sagen: ich bin müde
es fällt mir schwer zuzuhören
ich verstehe dich nicht (was oft heißt
daß ich nicht verstehen will)
und mich langsam innerlich von dir zu trennen

und weil diese entfremdung so versteckt beginnt
würden wir die beginnende kälte zwischen uns
zuerst gar nicht bemerken
aber unsere ehe würde abwärts gehen
und die allmähliche auflösung
und schließliche zerstörung
würde vollkommen sein
wenn keiner von uns beiden mehr merkte
daß zwischen uns etwas nicht stimmt

wir wollen drei ringe tragen

der erste soll aus metall sein
und uns ganz umgeben
blank und klar wie ein spiegel
und liebe heißen

und der zweite soll tod heißen
unsere hände und füße umschließen
damit wir mit ihm wirken

und der dritte soll gott heißen
und er soll nicht über uns sein
sondern in und unter uns
damit wir auf ihm stehen können:
eine insel im grau um uns

der ring um alle ringe
in allen ringen

wenn ich nicht weiß was ich will

wenn ich mehr wüßte
könnte ich dir mehr sagen
aber ich weiß nicht immer
was in mir vorgeht

darum warte
bis ich weiß was in mir los ist
auch wenn ich dir dann nur sagen kann
daß ich immer noch verirrt bin

aber bitte erlaube mir doch
verirrt zu sein

zwinge mich nicht
stark zu sein
zu sein was ich nicht bin
zu tun was ich nicht tun kann
zu sagen was ich nicht wirklich meine
und dorthin zu gehen wohin mich nichts zieht

wenn ich bei dir schwach sein darf
dann merke ich wie meine liebe wächst
und ich komme dir immer näher
in dem vertrauen das mit der liebe wächst
und kann so wieder stark werden

überlegung

ich suche schutz in unserer liebe
  und merke daß ich diesen schutz nicht finde
ich suche ruhe in unserer liebe
  und finde ängstlichkeit
ich suche trost in unserer liebe
  und finde unsicherheit

und es geht mir auf
daß die liebe sich nicht immer
in den geläufigsten formen ausdrückt
sondern sich auch tarnt
schwer verständlich wird
und auch unerkannt bleibt
aber doch noch immer liebe ist

liebe kann unruhe mit sich bringen
  weil aufgeräumt wird
sie kann ängstlichkeit hervorrufen
  weil wachstum schmerzt
sie kann unsicherheit auslösen
  weil plötzlich alle sicherheiten
  sehr unsicher erscheinen
wo die liebe wächst
  muß die sentimentalität weichen

ich muß überlegen
ob meine liebe untrennbar
mit dem glauben verbunden ist:
kann ich im dunklen hoffen?
kann ich gegen den angriff der verzweiflung glauben?
kann ich lieben ohne zu sehen?

vorschläge

ich habe viele vorschläge für dich
wie du dich verändern kannst
was du tun solltest und tun könntest
wie du ein bestimmtes problem angehen müßtest

ich habe veränderungsvorschläge
wie du besser mit mir auskommen könntest
ich habe vorschläge wie du mir näherkommen kannst

aber du willst ja nicht hören

und dann höre ich deine vorschläge für mich
wie ich mich verändern könnte
was ich tun sollte und könnte
wie ich bestimmte fragen angehen sollte
und wie ich besser mit dir auskommen könnte

jetzt haben wir uns beide entschieden
die vorschläge des andern nicht anzunehmen
und sind festgefahren

vielleicht
vielleicht könnten wir *uns selbst*
diese vorschläge sagen
aber ich möchte dir selbst das nicht sagen
sondern nur sagen
was ich tun kann:

ich muß einsehen
daß letztlich
alle deine entscheidungen
mir aus den händen genommen sind

du predigst wieder

wenn du aussagen machst
  die du gar nicht in frage stellst
wenn du mir sagst wie ich es zu sehen habe
wenn du von objektiver wahrheit sprichst
  und nicht von deinem gefühl
  oder deinem verständnis der lage
dann fühle ich mich unter druck gesetzt

dann weiß ich nicht was ich tun soll
dann bin ich gefangen
hoffnungslos gefangen
und ich muß alle meine energien einsetzen
um dieser falle zu entrinnen

und darum reagiere ich gar nicht
  auf das was du sagst
sondern nur auf deine sicherheit
und ich reagiere übertrieben und dumm
während du deiner sache sicherer wirst

bitte setz mich nicht gefangen
laß mir freiheit mich zu entscheiden
und versuche froh zu sein
auch wenn ich mich gegen deine meinung entscheide
weil ich doch meinen eigenen weg finden muß
ehe ich wirklich zu dir kommen kann

einheit und einzigartigkeit

ich habe oft gedacht
daß ein gutes gespräch
worte mit mehr liebe gesagt
  mit mehr ernst
  vorsichtiger ausgewählt
  und empfindsamer vorgebracht
daß diese worte alles verändern könnten

aber dann weiß ich auch wieder
daß es nicht die worte sind die alles verändern
daß wir getrennt sind durch unsere einzigartigkeit
daß wir zwei erwachsene sind
auf der suche nach uns selbst
auf der suche nach unserer bedeutung
und daß wir unweigerlich zusammenstoßen werden
  wenn wir uns nicht kompromittieren wollen
  und nur nachgeben um ein einfacheres leben
  zu haben

und darum verstehe ich die unterschiede
zwischen uns beiden
als zeichen unserer reife
als zeichen unserer einzigartigkeit
und ich will nicht ständig versuchen
diese unterschiede abzuschwächen
um eine einheit herzustellen
die keine einheit ist
sondern nur einförmigkeit

die einheit von der jesus spricht
muß von ihm kommen
und nicht von unseren kraftlosen versuchen
uns selbst zu verneinen
um eine falsche einheit herzustellen

allein zusammen

allein zusammen

wenn wir feststellen daß wir beide allein sind
daß wir allein geboren wurden
und daß wir allein sterben werden
und daß wir entscheidungen allein treffen
und daß wir allein vor gott stehen
und daß uns niemand einen wichtigen schritt
  abnehmen kann
wenn wir das erkennen
dann werden wir frei

plötzlich haben wir nichts mehr zu verlieren
und wir werden frei das abenteuer einzugehen
nach echter gemeinschaft zu suchen
liebe zu finden und zu teilen

dann wollen wir das gefundene nehmen
und es als wunder in dieser kalten welt sehen
und nicht als etwas was zu erwarten war
als ein geschenk und nicht als lohn
als gnade und nicht als recht

rechte

du gehörst mir nicht
und ich gehöre dir nicht

deine zeit gehört mir nicht
und meine zeit gehört dir nicht
wir können nur über unsere eigene zeit verfügen

meine ideen
müssen nicht unbedingt
auch deine ideen werden
und ich empfinde keine verpflichtung
deine ansichten zu übernehmen

ich habe keine rechte
und kein recht etwas von dir zu erwarten
denn dein leben ist ein geschenk an mich
und mein leben und sein sind ein geschenk für dich
welches ich dir geben oder zurückhalten kann

aber es freut mich deine ideen zu hören
und vielleicht sogar meine entsprechend zu verändern
und es freut mich mit dir zu teilen
was mich bewegt und formt

es macht mir freude dir meine zeit zu schenken
und wenn du mir deine zeit schenkst
möchte ich sie so nutzen
daß sie wertvoll für dich ist

ich habe mich dir gegeben
und ich erhalte dich

wir sind verheiratet
als wären wir es nicht
als wären wir es
als wären wir es nicht

auswege

an tagen wenn ich so gar nichts für dich empfinde
und meine ohne dich genau so gut leben zu können
frage ich mich
ob meine liebe zu dir tot ist
ob sie aufgehört hat zu sein
nach jahren schwerer arbeit aneinander

ich mag dieser frage nicht nachgehen
weil ich angst habe
vor einer möglichen antwort
aber die frage kommt immer wieder
und ich kann ihr nicht ausweichen

zuerst nehme ich den bekannten ausweg:
ich rede mir ein daß ich dich liebe
daß du mir viel bedeutest
ich erinnere mich an alles was wir geteilt haben
und noch teilen
ich halte mir alles gute vor augen
ich male bunte bilder
ich schalte aus was ich jetzt fühle
und wärme alte gefühle auf
aber das hält nicht an
und meine ängste
werden wieder sehr stark

oder ich gehe den zweiten ausweg:
ich vergleiche uns mit anderen ehen
besonders mit »schlechteren«
an denen nichts dran zu sein scheint
und fühle mich dabei besser
weil ich dann wieder mut fasse für uns
aber auch das reicht nicht aus
weil ich weiß
daß ich *meine* ehe leben muß
daß *ich* den weg zu *dir* finden muß
und das ist so schwer

wenn ich dann einfach nicht mehr kann
und aufgebe
bietet sich mir der dritte ausweg an:
wir sollten uns trennen
weil wir es zusammen einfach nicht schaffen
und um diesen ausweg zu gehen
muß ich meistens nach schuld suchen
und finde sie dann hauptsächlich bei dir
dann winkt mir die freiheit (hoffe ich)
dann wird alles anders (sage ich mir)
dann finde ich zu mir (verspreche ich mir)

drei wege
drei auswege
drei möglichkeiten der situation nicht zu begegnen
drei unmöglichkeiten

dann geht mir auf
daß gerade an diesem punkt des bankrotts
das wunder einsetzen soll
daß hier die liebe in verbindung mit dem glauben
erst richtig beginnen soll
über alle guten gefühle hinaus

das sind die durststrecken
die wüsten um und in uns
das ist das gefallensein des menschen
  in seiner verlorenheit
das sind wir
das ist unsere unzulänglichkeit
das ist unsere sünde
das ist unsere kraftlosigkeit
und unsere unfähigkeit uns selbst
  aus unserem unvermögen herauszuhelfen

aber
das ist auch der ansatzpunkt der gnade
das ist die probe des glaubens
das ist der ort an den uns gott haben wollte
  um mit uns zu reden
da bleibt uns nur noch das grenzenlose vertrauen
  auf gott
  weil wir versagt haben
da ist der ort der verwandlung
  nicht über nacht
  aber im steten aufbau
  mit vielen rückfällen
das ist die zeit des betens und schreiens
  voller wahrheit und ohne täuschung

hier kann wieder zusammengefügt werden
was auseinandergebrochen ist

ärger redet

1
durch meinen ärger sage ich dir
daß du meinen wert sehen sollst
ich weiß daß ich mich in meinem ärger
nicht klar ausdrücke
daß ich frustriert bin
aber dahinter steckt der hunger
für dich etwas zu bedeuten
und dir etwas wert zu sein

durch meinen ärger versuche ich dich zu zwingen
einen standpunkt zu beziehen
eine entscheidung zu treffen
stellung zu mir zu nehmen
durch meinen ärger möchte ich dich zwingen
zu handeln

2
mit meinem ärger sage ich dir
daß nicht genug zwischen uns passiert
daß ich nicht zufrieden bin mit unserem verhältnis
nach mehr suche
und beinah verzweifele in meiner suche

3
mein ärger gibt mir die möglichkeit
nach außen zu kehren
was mich innerlich auffrißt

ich kriege meine halbfertigen gedanken zu fassen
ich kann meine gefühle ausdrücken
und in meinem ärger schöpferisch werden

aufwärts oder abwärts

deine freiheit ist immer
mit meiner freiheit verbunden

ich kann dir volle freiheit geben
wenn ich von dir freigelassen werde

meine freiheit befreit dich
und dadurch werde ich freier
und dadurch wirst du freier
usw.
usw.
usw.

es kann eine spirale sein
die aufwärts oder abwärts führt

ich kann wählen
du kannst wählen
wir können wählen

wenn ich mich von dir weg bewege

wenn ich selbstsicherer werde
  und unabhängiger von dir
wenn ich aufhöre dich zu »gebrauchen«
wenn ich meine einsamkeit annehme
  und sie erforsche
wenn ich meine erwartungen an dich aufgebe
und wenn ich nicht mehr versuche
  deinen erwartungen gerecht zu werden
wenn in mir der drang nachläßt auf alles nur
  zu reagieren
  weil ich meiner identität nähergekommen bin
wenn ich in die tiefe in mir hinabsteige
  ohne deine begleitung

und wenn du das gleiche tust

dann geschieht das wunder:
du kommst mir näher
wir lernen von einander
wir beginnen unser leben miteinander zu teilen
wir erfüllen erwartungen
wir üben eine anziehungskraft aus
  weil jetzt das beengende fort ist
jetzt sind wir nicht mehr aneinandergekettet
unsere »liebe« bindet und fesselt uns nicht mehr
wir sind frei
wir sind verliebt
wir lieben mit einer neuen liebe
wir sind einander ein geschenk
unerwartet und überraschend
und weit über unsere hoffnungen hinaus

schwere stille

wir sind durch eine schwere stille getrennt
die wir nicht überwinden können
auch schaffen wir es nicht
  über unseren eigenen schatten zu springen
beginnen zu brüten
und einander mit negativen gedanken zu beschweren

ich will ausbrechen aus diesem dreh
aus diesem sog nach unten
ich will das erste verbindende wort sagen
und die erste bewegung zu dir hin machen
und unseren dialog wieder eröffnen

ich hoffe auf eine antwort von dir
und auch wenn sie nicht kommt
will ich weiter offen bleiben
bereit sein für deine teilnahme
aber ohne druck auf dich auszuüben

geheimnis

es gibt dinge die ich mich nicht zu sagen traue
weil ich an die tragfähigkeit unseres verhältnisses
denken muß

ich hoffe daß ich mir nichts vormache
 nur um versteckten ängsten aus dem wege zu gehen
und ich hoffe daß wenn ich rede
ich es so tun kann
 daß du es verstehst
 auch wenn du mit mir nicht übereinstimmst

auch lerne ich
daß manches nicht gesagt werden muß
daß ich gewisse dinge in mir ordnen
 und abklären kann
ohne dich damit zu beschweren
und sie vielleicht dadurch noch größer zu machen
 als sie wirklich sind

ich lerne ängste zweifel und fragen zu akzeptieren
und sie als wesentlichen bestandteil des lebens zu sehen

dann wird mich das geheimnis
das ich in mir trage
nicht vergiften sondern bereichern
es wird mich nicht innerlich verzehren
sondern mich stärker machen
und ich werde dir mit diesem geheimnis nicht drohen
sondern auf den rechten zeitpunkt warten
um es mit dir zu teilen

ich erkenne wie wichtig es in der ehe ist
den richtigen zeitpunkt zu erkennen

die arbeit der liebe

man sagt uns
  daß die liebe uns überwältigt
man zeigt uns in filmen
  daß menschen sich in einem augenblick verlieben
wir lesen
  daß es einfach unmöglich ist
  dem partner immer treu zu bleiben
wir hören die verfechter der freien liebe sagen
  daß die einehe unnatürlich sei
man versucht uns einzureden
  daß liebe von gutem aussehen abhängig ist
  und daß wir das richtige auto fahren müssen
man sagt uns
  daß die liebe kommt
  und geht

aber fast niemand spricht
über die *arbeit* der liebe
über die *energie* die gebraucht wird um zu vergeben
über die *anstrengung* die nötig ist
  um einen ganz normalen tag zu durchleben
  ohne dabei hart zu werden
  und die fähigkeit zu lieben zu verlieren
über die *aufgabe* der selbstverleugnung
  ohne dabei zu sterben
über den einsatz unseres *willens*
  gegen die schwachheit unserer gefühle

die arbeit der liebe
die energie der liebe
die anstrengung der liebe
die entscheidung weiter zu lieben
in der hoffnung über uns selbst hinaus
verwandelt zu werden

loslassen

dich so loszulassen
daß du die fehler machen kannst
die du machen willst
daß du mich ablehnen kannst
daß du neue werte finden kannst
daß du deine meinung ändern kannst
wenn ich dich gerade verstanden habe
daß du dir zuviel sorgen machen kannst
daß du dir nicht genug sorgen machen kannst
dich so loszulassen
daß muß ich lernen

ich muß dich ziehen lassen
in ein unbehütetes leben
in ein einsames leben
in dein leben
getragen von deinen entscheidungen
denn ich kann nicht dein vormund sein
ich kann nicht über dich bestimmen
auch nicht in kleinigkeiten

ich muß lernen dich loszulassen
so einfach
und doch so schwer

sehnsüchtig

sie sucht sehnsüchtig nach mehr
möchte erfüllter sein
dem sinn des lebens intensiver nachgehen
er aber findet es »nicht so nötig«
gesteht ihr aber zu daß »sie sowas braucht«

er läßt ihr freiheit
und sie findet auch bald andere
(oft frauen
  denen es mit ihren männern ähnlich geht)
oder sie liest bücher die ihr weiterhelfen
tut dies aber mit einem schlechten gewissen
weil sie merkt
  daß sie sich immer weiter von ihrem mann entfernt
andererseits ist ihre sehnsucht auch sehr stark

so treiben sie auseinander
reden bald nicht mehr über das
  was sie wirklich angeht
und bauen mehr und mehr getrennte welten auf

und doch wünscht sie sich nichts sehnlicher
als ihr suchen und finden und suchen
mit ihrem mann zu teilen
gemeinsam das leben zu erforschen und zu wachsen
er aber sieht ihre not nicht
und auch nicht die einsamkeit
in die sie beide
fallen

forderungen

ich stelle forderungen
sage sie aber nicht offen
sondern erwarte von dir
daß du sie erfühlst
und ärgere mich dann
wenn du nichts merkst

in mir wächst
befremdung empörung verdruß
und ich werde verstimmt
alles braut sich zusammen
bis ich zum schluß
explodiere

und du sagst:
ich wußte nicht
daß du etwas von mir erwartet hast
hättest du doch etwas gesagt
ich hätte das gern für dich getan
aber ich habe es einfach nicht gemerkt

ich aber
bin schon so verstimmt
daß mir das wie eine ausrede vorkommt
und ich muß bei meiner meinung bleiben
weil sonst ja mein ganzer ärger
umsonst gewesen wäre

und es dauert nicht lange
bis auch du
dich nur noch verteidigen kannst
und wir über dinge reden
die wir an den haaren herbeiziehen

ein offenes wort
ein ausdruck meiner erwartungen und hoffnungen
hätte allem eine ganz andere richtung gegeben

mehr raum zum wachsen

gib mir raum
mehr raum zum wachsen
wenn ich von allen eingeschlossen werde
und die welt zum käfig wird

gib mir raum
mehr raum zum wachsen
wenn die welt mir verbietet
mich zu verändern

gib mir raum
mehr raum zum wachsen
laß mich das bild sprengen
das du von mir hast

gib mir raum
mehr raum zum wachsen
zu der ebenbildlichkeit
die verborgen in mir liegt

in der stille dieser nacht

jetzt
mitten in der nacht
allein mit meinen gedanken
und mein leben übersichtlich vor mir ausgebreitet
legt sich trauer auf mich
und der unüberwindbare abstand zwischen menschen
  auch zwischen dir und mir
wird mir bewußt
und all unsere gemeinsamkeiten
sind kein schutz gegen diese erkenntnis

und doch ist es nicht unerträglich
denn ab und zu ahne ich wie es einmal sein wird
wenn mir blicke in die vollkommenheit
  gewährt werden
und sich das geheimnis des ganzen plans etwas lüftet

wir sind wanderer in der einsamkeit dieser nacht
und vielleicht verbindet uns dieses wissen
und das leiden unter der unvollkommenheit
und die sehnsucht nach erfüllung
mehr als jeder versuch
uns über diese einsamkeit hinwegzutäuschen

ich liebe dich
und strecke mich nach dir aus
und manchmal berühren sich unsere fingerspitzen
und wir sind zeugen des wunders

was passiert hier eigentlich?

was sagst du wirklich?

wenn du sagst
KANNST DU DAS NICHT ENDLICH TUN?
meinst du vielleicht:
– ich habe deine unverantwortlichkeit satt
– muß ich dir denn immer alles sagen?
– ich mag mich selbst nicht
  wenn ich dich immer wieder erinnern muß

wenn du sagst
DIR IST DAS WOHL ALLES EGAL?
meinst du vielleicht:
– es tut mir weh daß es dich so wenig interessiert
– bitte kümmere dich um das was mir wichtig ist
– es schmerzt wenn wir uns wie fremde unterhalten
– ich warte darauf daß du wieder um mich wirbst
  daß du mich wieder liebst
  daß ich wieder etwas besonderes bin

wenn du sagst
ICH HABE DAS LEBEN SO SATT!
meinst du vielleicht:
– unser leben hat seine intensität verloren
– wir sind geworden was wir nie werden wollten
– ich gebe auf dich überzeugen zu wollen
  daß sich unser leben zu sehr um arbeit essen
  und fernsehen dreht

wenn du sagst
ICH KANN DICH EINFACH NICHT LEIDEN WENN DU SO BIST!
meinst du vielleicht:
– ich fühle mich von dir bedroht

– siehst du nicht daß mir die selbstachtung fehlt
  und jegliches selbstwertgefühl?
– ich weiß einfach nicht wie ich dir antworten kann
– ich mag mich nicht
  wenn durch dich meine schlechtesten seiten
  zum vorschein kommen
– bitte spiele doch nicht diese rolle
  weil ich sie durchschaue
  und die rolle uns trennt

wenn du sagst
DU MACHST DAS IMMER/NIEMALS SO!
meinst du vielleicht:
– es frustriert mich
  daß wir beide nicht aufeinander hören können
– deine kälte macht mich fertig
– bitte reagiere endlich
– nur darum bin ich doch so aggressiv
– ich fühle mich übergangen
  und möchte mich doch mit dir verständigen

ich weiß daß wir worte gebrauchen
um uns zu verstecken
um wegzulaufen und andern eins auszuwischen
worte sind nebelwände und sicherungen
worte sind köder für nichtsahnende
worte sind schüsse speere und haken
worte sind spiegel der seele
worte sind hilfeschreie
worte sind worte und viel mehr

weil ich dich besser kennenlernen will
möchte ich ganz offen sein
für das was hinter deinen worten liegt

alles für gott

er hat sich entschieden
ganz für gott dazusein
nur auf ihn zu hören
ihm zu dienen
und ihm wird ganz wohlig bei diesem gedanken

aber er scheint zu vergessen
daß das leben weitergeht
daß er eine familie hat
für die er verantwortlich ist
daß kinder auf ihn warten
und eine frau ihm partner sein möchte

jetzt redet er viel von gott
geht zu komiteesitzungen und planungsgesprächen
predigt auch mal und gibt ratschläge
stürzt sich mehr und mehr hinein
in die reichsgottesarbeit
wird gewünscht und ist unabkömmlich
ein mann nach dem herzen gottes

zu hause aber sitzt eine frau allein
und kinder wachsen vaterlos auf
denn auch wenn er zu hause ist
ist er doch nicht da

und auch wenn sie nach außen hin
weiter gut zu funktionieren scheinen
sind diese ehe und familie doch zerbrochen
weil ein mann tat
was gott nie von ihm verlangte

verstecken

sie haben beide angst
obwohl sie auf den ersten blick
sorglos und ruhig aussehen

sie haben angst einander zu konfrontieren
sich die stirn zu bieten
klar und unmißverständlich zu sagen
was in ihnen vorgeht
ihren finger auf die wunde zu legen
ihre not zu zeigen

sie gebrauchen alle ihre kräfte
um sich vor einander zu verstecken
und vorzugeben daß sie sich nicht verstecken

während sich in ihnen
die wüste ausbreitet
und alles zu einer landschaft der angst wird
und die angst wächst heimlich
wie ein krebs

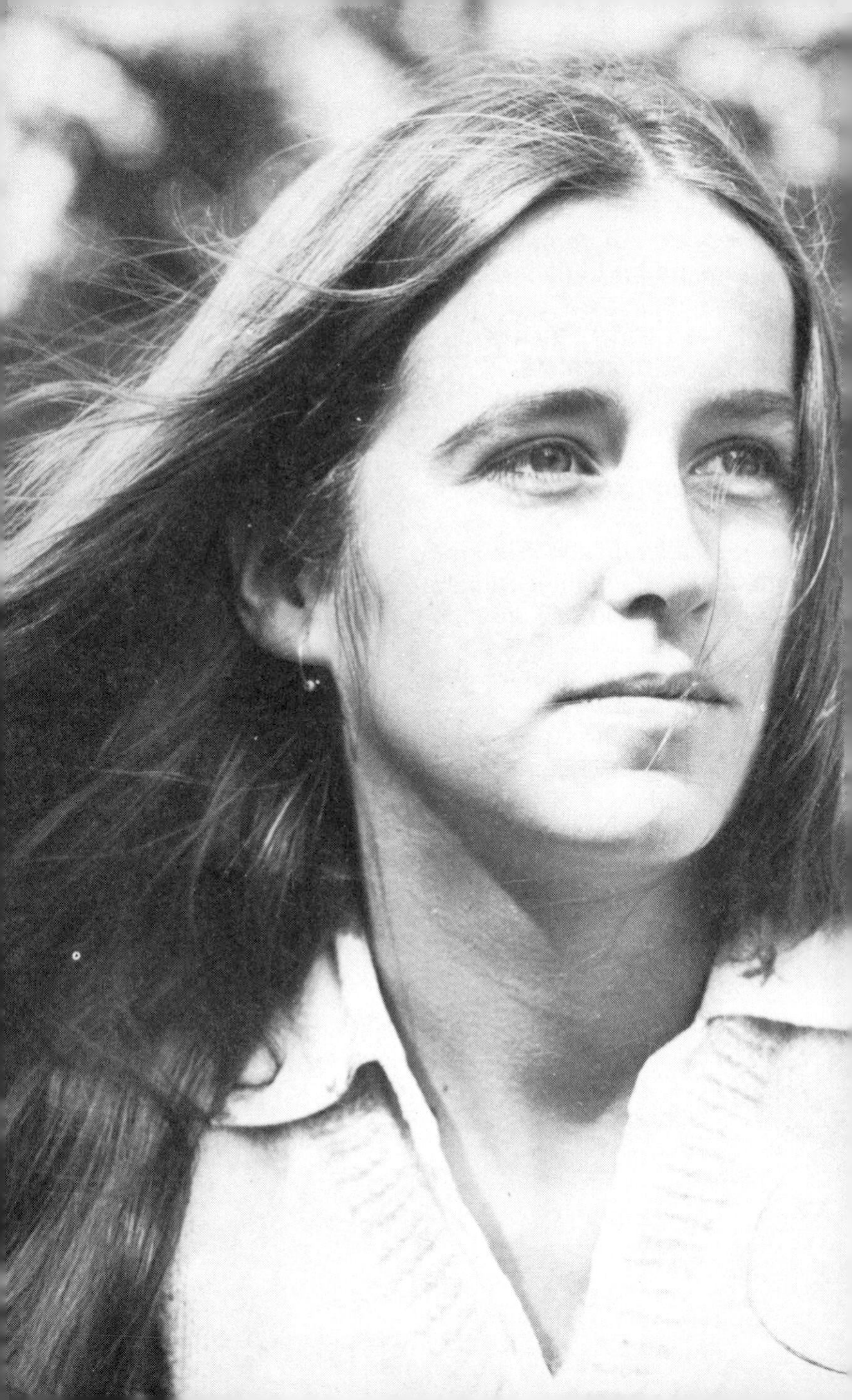

wenn ich nur . . .

wenn ich nur sagen könnte
  was in mir vorgeht
wenn du mir irgendwie vermitteln könntest
  welche vorstellungen und bilder in dir ruhen
  und zu deinem leben beitragen
wenn ich nur fühlen könnte
  was du gerade durchmachst
wenn du nur sehen könntest
  was unsichtbar aber so wirklich für mich ist
wenn ich nur
  deine vergangenheit mit dir durchleben könnte
wenn du nur meine gesten
  entschlüsseln könntest
wenn ich nur die vielen gesichter die du trägst
  besser deuten könnte
wenn du nur mit deinem herzen hören könntest
  was ich mit meinem herzen sage
wenn ich nur
  in deinen innenraum vordringen könnte
  und du in meinen
dann wäre die verständigung soviel leichter

aber ich weiß
daß die augen ohren sinne und herzen
die welt viel voller erfassen können
durch den glauben

ich will dir näher kommen
durch glauben und liebe

entscheidungen treffen

er klagt darüber
daß die welt ihn
bindet
gefangen hält
niederdrückt
manipuliert
unter druck setzt

er wird durch ihre aussagen gebunden
  weil er sich binden läßt
er wird durch ihre handlungen gefangen gesetzt
  weil er sich gefangen setzen läßt
er ist niedergeschlagen
  weil er dann ihr die schuld geben kann
er wird manipuliert
  weil er sich weigert
  seine eigenen entscheidungen zu treffen
er steht unter druck
  weil er nicht bereit ist
  die konsequenzen von taten auf sich zu nehmen
  die andere vielleicht nicht mögen

er sucht nach ursachen außerhalb seiner selbst
er möchte die schuld auf jemand anders abschieben
damit er sich nicht zu verändern braucht
er übernimmt keine verantwortung
  für seine entscheidungen
und darum ist er nicht frei
und wie eine marionette
  für alle die an seinen fäden ziehen wollen

er muß den unterschied lernen zwischen
sich gebunden fühlen und gebunden sein
sich gefangen fühlen und gefangen sein
zwischen niedergeschlagen sein
und dem handeln aus dieser niedergeschlagenheit
zwischen keine eigenen entscheidungen treffen
und keine entscheidungsfreiheit haben
zwischen unter druck sein
oder nur angst haben
die eigene überzeugung zu leben

er muß in sich hinein sehen
um frei zu werden
und dem geber der grenzenlosen freiheit zu begegnen

das »wie-konntest-du-nur« spiel

wie konntest du das nur sagen?
wie konntest du so handeln?
das kannst du doch nicht wirklich meinen?

all meine fragen
sind in wirklichkeit keine fragen
sondern meine art dich anzuklagen
daß du mich nicht mehr liebst

jede frage in diesem ton gefragt
sagt dir daß *ich* so nicht handeln würde
und daß ich mir nicht vorstellen kann
wie du so handeln kannst
wenn du mich wirklich liebst

ich begrenze damit deine ausdrucksmöglichkeiten
ich belade dich mit schuldgefühlen
ich fordere beweise deiner liebe zu mir
und schreibe dir vor
  wie diese beweise auszusehen haben

vergib mir
daß ich so kalkulierend und manipulierend bin
ich will dich nicht zwingen
deine liebe zu zeigen

karikaturen der ehe

1
ihre ehe begann mit ihren körpern
und ging nie weiter als das
und jetzt treiben sie
legalisierte prostitution

2
ihm ist es peinlich
daß sie alles immer so langsam begreift
und ihr ist es peinlich
daß sie nie seinen ansprüchen gerecht wird
und ihn immer enttäuscht

beide bemühen sich
ihre enttäuschung nach außen hin zu verstecken
sie erscheinen zusammen
geben ein gutes bild ab
spielen eine ehe die funktioniert
aber beide geben eigentlich nichts um den anderen
um des anderen willen

3
als sie heirateten liebten sie einander
aber bald schalteten sich ihre familien ein
(die glaubten
sich auch heiraten zu müssen)
und die liebe erstickte

jetzt sprechen die verheirateten
hauptsächlich als abgesandte ihrer familien
miteinander

4

das zentrum ihrer ehe
war ihr kind
das sie mit all ihrer liebe überschütteten
all ihrer liebe
liebe?

beide fühlten sich erfüllt
und brauchten so einander nicht mehr
bis ihr kind eigene entscheidungen treffen konnte
und sich für den einen oder anderen
entscheiden mußte

dann mußten sie reden
konnten sich aber nur streiten
wer das kind haben sollte
bis das kind
auseinander-
gerissen
wurde

5

zuerst
spielten sie dies spiel nur öffentlich:
einer den anderen lächerlich zu machen
spielten es perfekt
zur belustigung anderer
bis sie darunter zerbrachen

jetzt spielen sie das gleiche spiel
auch privat

alles füreinander sein

er scheint beinahe besessen zu sein
von dem gedanken
daß *sie* ihm alles sein muß
daß *sie* seine handlungen bestätigen muß
  auch wenn sie sie nicht versteht
daß *sie* alle seine gefühle verstehen muß
daß *sie* die gleichen geistigen fähigkeiten
  haben muß wie er
daß *sie* sich für musik interessieren muß
und daß *sie* die gleichen lebensziele haben muß
  wie er
sie muß ihm alles sein

und sie empfindet ähnlich
daß alles was sie stört
durch *ihn* beseitigt werden muß
daß *er* sich für filme interessieren muß
  wie sie
daß *er* alle kleinigkeiten des lebens
  mit ihr teilen muß und mit keinem andern
daß sie verständnis nur bei *ihm* finden wird

und unter dieser voraussetzung
tun sie alles gemeinsam
verbringen viel zeit miteinander
und haben angst ihr verhältnis zu stören
  indem sie noch jemand anders einlassen
sie haben angst ihre gedanken zu ende zu denken
sie erlauben sich nicht zu empfinden
  was sie empfinden
und werden dadurch frustriert und verstimmt
  weil sie sich in ihrer ehe gefangen fühlen

sie müssen beide ihre grenzen erkennen
und einsehen
daß sie andere menschen brauchen
um wachsen zu können
daß es zeiten gibt
   in denen ein freund sie besser verstehen wird
   als ihr ehepartner
und daß man darum nicht eifersüchtig wird
   oder gar meint die ehe sei weniger wert
denn es geht nur darum den reichtum anderer
   mit in der ehe aufzunehmen

die offenheit für andere
und die freiheit dinge allein zu tun
werden den druck von ihrer ehe nehmen
und sie werden erkennen
   daß sie ihre ehe nicht behüten müssen
   indem sie krampfhaft versuchen
   einander alles zu sein

die liebe wächst
wenn wir unsere unterschiede bejahen
unsere grenzen erkennen
und einander freigeben

sexperten

es gibt die techniker der liebe
die liebe als handlung betrachten
die liebe »machen« wie ein produkt
die über technik und stil reden
und ihre aussagen mit statistiken belegen
die orgasmen mit stoppuhren messen
und von koeffizienten und konstanten schreiben
die müden reisenden auf diesem weg
vorschläge zur neubelebung machen

dann gibt es die analytiker der liebe
die meinen sie würden die liebe
  auf eine höhere ebene heben als die techniker
indem sie über motive traumata und komplexe
  abhängigkeiten und erwartungen reden
aber auch sie sind am ende techniker
  wenn auch auf einem anderen feld
denn auch sie manipulieren und kalkulieren
sie sind ingenieure des unbewußten
ohne den atem
der neues leben bringt

und dann gibt es die
die wirklich lieben wollen
die sich nicht zufrieden geben mit technik und stil
auch nicht mit stimmung und gefühl
die ihren sex in der liebe verankern
und ihre liebe in dem willen zu erkennen
und erkannt zu werden
und sich mit und ineinander
entfalten bereichern und erneuern

vergib mir

vergib mir
wo ich dich gebraucht habe
um mich selbst zu befriedigen
wo ich nicht genug um dich und deine gefühle
gegeben habe

vergib mir meine kurzsichtigkeit
und meine fehlende selbstdisziplin

ich möchte mich nicht billig fühlen
und dir noch nahekommen dürfen
um das aufzubauen
was mein egoismus manchmal zerstört

schließe mich nicht aus deinem leben aus
sondern lehre mich liebe und respekt
und die zusammengehörigkeit von leib seele und geist

ich möchte besser verstehen
daß nichts zurückgehalten werden kann
wenn wir einander wirklich begegnen wollen
damit die vereinigung unserer körper
das gleiche lob ist
wie wir es in unserem geist erleben

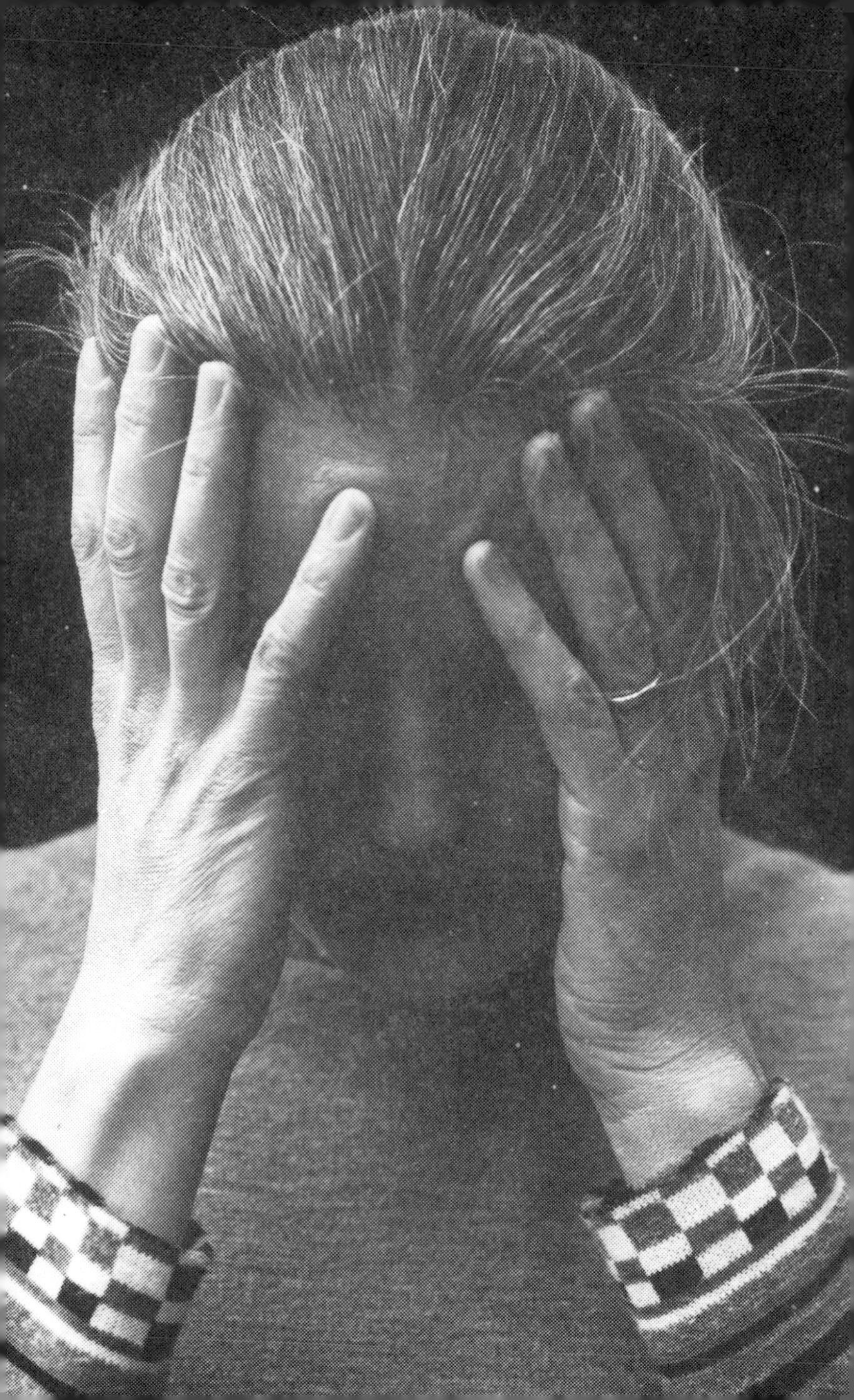

ein schwieriges zeichen der liebe

ich habe nicht verstanden
daß deine heftige reaktion
im grunde nichts mit mir zu tun hatte
sondern deine art ist dich zu befreien
  von der welt die auf dich eindrängt
  und versucht das in dir zu erdrücken
  was dich wirklich ausmacht
  und was du retten mußt
  um wirklich du selbst zu bleiben

ich stehe dir am nächsten
und darum trifft es mich am ersten
  wenn du um dich schlägst
du gebrauchst mich als sündenbock
und ich reagiere unreif
  indem ich zurückschlage
  indem ich dich beschuldige
  und dich zu meinem sündenbock mache

und dabei hast du doch dein leben verteidigt
während ich nur reagierte
du hast um deine identität gekämpft
während es mir nur um meine ehre ging

ich möchte es als ein zeichen der liebe auffassen
wenn du dich nicht erdrücken läßt
und dabei auch gegen mich ankämpfst
du mußt mir viel vertrauen
sonst würdest du mich nicht wählen
als den menschen
durch den du wachsen möchtest

verschiedene perspektiven

sie:
du gehst jeden tag aus dem haus
triffst viele menschen
hast eine arbeit in der du aufgehst

er:
du kannst zu hause bleiben
kannst deinen gedanken nachgehen
und den ablauf deines tages selbst bestimmen

sie:
dein leben ist reich an erfahrungen
du erlebst dich immer wieder anders
in den begegnungen deines tages

er:
du brauchst dich nicht auf andere einzustellen
kannst mal »abwesend« sein
weil niemand etwas von dir erwartet

sie:
ich bleibe zu hause
koche und nähe
finde dort unordnung
wo ich gestern erst ordnung gemacht habe

er:
ich muß auf draht sein
muß ständig entscheidungen treffen
und die gleiche arbeit wie gestern tun

sie:
ich bin abgeschnitten
mit meinen gedanken allein
kann sie an niemand ausprobieren
drehe mich im kreis
und fühle mich eingeschlossen

er:
ich darf nichts von mir selbst
  mit zur arbeit bringen
muß belangloses reden
und mir dumme witze anhören

sie:
wenn du nach hause kommst
möchte ich gern über deinen tag hören
möchte wissen wie es dir gegangen ist
möchte etwas von der bewegung deines lebens abha-
ben

er:
wenn ich nach hause komme
möchte ich meinen arbeitstag hinter mir lassen
möchte ich ausspannen

sie:
dann möchte ich mit dir zusammen
aus dem haus gehen
um etwas gemeinsames zu erleben

er:
dann möchte ich mit dir zusammen
einen ruhigen abend zuhause haben

beide:
es hilft mir
deine perspektive zu sehen
zu sehen daß dir schwer wird
wonach ich mich sehne
und ich merke wie wichtig es ist
daß wir alles mehr teilen müssen
weil wir es beide schwer und leicht haben
und wir einander brauchen
um den ausgleich herzustellen

eine sammlung von blicken die nichts bringen

der ich-will-dich-nie-wiedersehen blick
der spar-dir-dein-guten-tag-du-bist-wieder-zu-
spät-gekommen blick
der ich-bin-doch-so-lieb-und-würde-keiner-fliege-
etwas-zu-leide-tun blick
der frau-als-putzlappen blick
der liebling-siehst-du-denn-nicht-daß-ich-
recht-habe blick
der guck-mal-wie-nett-ich-bin-ich-vergeb-dir-
sogar blick
der das-kannst-du-mir-doch-nicht-antun blick
der du-hast-es-dir-selbst-eingebrockt blick
der du-kannst-doch-nicht-so-bösartig-sein blick
der du-hast-meine-gefühle-wieder-verletzt blick
der du-glaubst-dich-immer-noch-im-rechten? blick
der ehemann-als-sündenbock blick
der ich-bin-doch-nur-eine-hausfrau-an-die-
küche-gebunden blick
der ich-habe-dich-gerade-in-deinen-eigenen-
worten-gefangen blick
der du-mußt-ein-schlechtes-gewissen-haben-
wenn-du-mich-mit-so-großen-augen-ansiehst blick
der du-bist-unbegreiflich blick
der mit-dir-ist-es-nicht-auszuhalten blick
der begreifst-du-nicht-daß-es-mit-dir-nicht-
auszuhalten-ist blick
der das-mußt-du-doch-einsehen blick

vervollständige die liste
mit deinen eigenen lieblingsblicken
und frage dich was du mit den blicken erreichen willst

hast du wirklich versucht
mit worten zu vermitteln was in dir vorgeht?

um der kinder willen

manchmal suchen wir nach gründen für unser handeln
  nur um andern gründen aus dem wege zu gehen
und oft ziehen wir die zweitbesten gründe vor
weil die besten gründe
  zu anstrengend und kostspielig sind

und so bleiben paare zusammen
wegen der kinder
aus finanziellen gründen
wegen der stellung in der gesellschaft
oder weil sie sich so aneinander gewöhnt haben
oder aus angst vor der einsamkeit
oder wegen des geredes der leute

aber sie merken nicht
daß sie nicht *zusammen*bleiben
sondern nur zusammen *bleiben*

sie benutzen nur dasselbe haus
dasselbe auto
dieselbe bank
dieselben kinder

es ist höchste zeit
sich neu für einander zu entscheiden
oder sich zu trennen
um die entfremdung sichtbar zu machen
die schon lange gewachsen ist

und so wenigstens einmal noch
die empfindungen des anderen zu respektieren
und seine ehrlichkeit ernstzunehmen

wachsende ehe

sie führen eine gute ehe
und werden von andern glücklich geschätzt
doch beide haben das gefühl
daß sie sich etwas vormachen

ihr glück beruht auf unwissenheit
auf unoffenheit und fehlendem vertrauen
ihre empfindsamkeit ist stumpf geworden
in ihrem glück
das kein wirkliches glück ist
und doch spüren sie
daß es mehr gibt
daß es mehr geben muß
daß es so nicht ein leben lang gehen kann

sie sind umgeben von ihren guten freunden
die nichts merken
die sich wundern würden
wenn jetzt plötzlich
etwas nicht mehr ganz in ordnung sein sollte
die nur sagen würden:
– es ging doch sonst immer gut
– ihr liebt euch doch
– was habt ihr nur?
– macht doch keinen unsinn
– das wird sich alles wieder einrenken

das ist leider nur gut gemeint
menschlich und nicht geistlich
und verdirbt darum oft so viel

denn der glimmende docht des großen sehnens
   nach der größeren fülle gottes
   nach tieferer gemeinschaft
   nach begegnung
   nach verändernder liebe
wird damit ausgelöscht

nun kommt es darauf an
wie diese wachsende empfindsamkeit
dieses ungenaue empfinden
diese stille sehnsucht
in die richtigen bahnen gelenkt werden kann
wie aus dem wunsch nach veränderung
eine wirkliche veränderung werden kann

herr schenke ihnen doch freunde
die sich nicht scheuen
ihnen ehrlich zu helfen
die bei dem vormache-spiel
nicht mehr mitspielen
die sich mit ihnen mühen
tiefer vorzustoßen
in die geheimnisse der gemeinschaft

und sei du ihnen doch selbst nah
mit deiner ruhigen hand
in dieser zeit der neubesinnung

anerkennung

fast jeden tag muß ich lernen
daß die anerkennung die du mir geben kannst
  nie ein echtes selbstwertgefühl ersetzen kann
daß mein gefühl unzureichend zu sein
  nie durch deine freundlichen worte
  behoben werden kann
daß das schuldgefühl das ich mit mir trage
  mir nicht genommen wird
  durch deine ermunterungen

wenn ich meine sicherheit bei dir suche
und wenn ich meinen wert und meine identität
  von deiner anerkennung abhängig mache
mache ich mich zu einem anhängsel von dir
und entwürdige dich und mich und unser verhältnis
weil wir zu dingen werden
die besessen werden und besitzen
dann sind wir nicht mehr menschen
die ihre eigenen entscheidungen treffen

ich mache dich nämlich dann verantwortlich
  für etwas was nur ich tun kann
ich beschwere dich
  durch meine schuldgefühle
  und gefühle der unzulänglichkeit
nur damit ich sie nicht voll tragen muß

ich muß in mich hineinsehen
  und dort nach dem wert meiner handlungen
  und dem wert meines seins suchen
und ich muß mich gott zuwenden
und erkennen daß mein wert darin besteht
daß ich ein kind gottes bin
schuldlos ohne verdammliches an mir
ich bin viel mehr als nur gerade »ausreichend«
ich bin voll angenommen
so wie ich bin

wie einfach ist es jemand zu finden
der mich gut findet
dem gefällt was ich tue
der gern mit mir redet
  wenn auch nur für eine gewisse zeit
aber letztlich wird diese anerkennung
nicht genug sein
und in mir wird immer noch eine leere sein
bis ich meinen wirklichen wert finde
und den ursprung meines seins

um gottes willen

sie blieb bei ihm
sie »trug« ihn durch dick und dünn
durch krankheit und gesundheit
durch gute und schlechte zeiten

sie ließ ihre gefühle mißbrauchen
ertrug seine wutanfälle
durchlitt seine unverantwortlichkeit

sie blieb bei ihm
sie »erduldete« alles
sie blieb stark bei allem

sie traute gott
und sie tat es um gottes willen
und um der kinder willen

sie blieb bei ihm

blieb sie *bei* ihm?
stand sie an seiner seite
und war sie auf seiner seite
oder teilte sie nur bett und bank mit ihm?

wenn sie ihn »trug«
(wie eine gute christliche ehefrau es doch soll)
revanchierte sie sich dann nicht
auf ihre art?
sie [illegible]ußte doch wie gerade ihre »heiligkeit«
ih[illegible] zu schaffen machte
[illegible]er mehr und mehr den glauben an sich selbst verlor
[illegible]r sich am ende als ganz schwach sah
[illegible] sie als ganz stark

und darum lehnte er sie immer mehr ab
fühlte sich aber ständig im unrecht
weil alles so richtig an ihr erschien
und natürlich sahen es alle anderen so wie sie
und lobten sie für ihre christlichen tugenden

vielleicht hätte sie im vertrauen auf gott
ihrem ärger raum geben sollen
hätte schwach werden
und ihre verwundbarkeit zeigen sollen
anstatt immer stark zu bleiben
hätte kämpfen sollen
anstatt alles in sich hineinzufressen
hätte nicht alles »tragen«
sondern ihn mit den konsequenzen seines handeln
  konfrontieren sollen
vielleicht hätte er dann nicht so viel haß
  gegen sich selbst entwickelt

er ging rückwärts
und wurde immer unfähiger
während sie stärker und stärker wurde
bis sie ihn nicht mehr brauchte
und ihn abtun konnte
wie eine leere hülse

beiden fehlte die überzeugung
nach außen zu leben was sie innerlich fühlten
und darum spielten beide rollen
die sie nie spielen wollten

liebe ist nicht der natürliche zustand

liebe ist nicht der natürliche zustand
unseres lebens
sondern egoismus und gleichgültigkeit
liegen uns viel näher

liebe entsteht nicht durch zeremonien
nicht durch wunschvorstellungen
und liebe kann nicht durch entscheidungen
herbeigezwungen werden

liebe ist nie besitz
und kann nicht auf vorrat angelegt werden
und die liebe von gestern
nützt mir heute nichts

liebe ist der zustand gott in uns zu haben
liebe muß ständig erneuert werden
liebe kommt als geschenk zu uns

liebe wächst aus dem erleben mit gott
liebe wächst wenn wir uns selbst annehmen
liebe wächst wenn wir einander annehmen

danke für . . .

danke

1
danke für die sorgfalt
mit der du aus unserem haus ein heim machst
und aus unserem wohnzimmer
mehr als nur einen schönen raum
  einen ort an dem mein geist frei sein kann
wo ich ausruhen und mich behaglich fühlen kann

ich will diese sorgfalt nie als deine rolle sehen
sondern als ein geschenk von dir
mit dem du mich überraschst

2
danke für die blumen auf meinem schreibtisch
und für den gestopften pullover
und für die wahl der musik auf dem stereo
mit der du mich wecktest

3
danke
daß du mir ein spiegel bist

4
danke für deine unabhängigkeit
die mir die freiheit gibt mehr für dich zu tun
als ich es sonst könnte

5
danke
daß du mir die freiheit gibst zu schweigen
danke daß du diesmal sogar deine worte
  runtergeschluckt hast
als du merktest daß ich unfähig war
noch mehr zu verkraften

6
danke
daß du mich nicht nach meinen fähigkeiten beurteilst
daß du mich als person behandelst
und nicht als ansammlung von rollen
die du dir zunutze machen kannst

7
danke
für dein unterscheiden
zwischen sympathie und liebe

8
danke
für deine angriffe
auf meine gleichgültigkeit und unachtsamkeit

9
danke
daß du die dinge in die hand genommen hast
als ich einfach nicht mehr konnte
als zuviel einfach zuviel war

10
danke
für deine geduld
die mir erlaubt
mich natürlich zu entwickeln

11
danke
daß du deine angst
dein kämpfen deine liebe
und dein leben
mit mir teilst

die liebe geht über worte hinaus

liebe kann nicht erzwungen werden
  aber man kann sich nach ihr sehnen
liebe kann nicht verdient werden
  aber man kann sie als überraschung empfangen
liebe kann nicht verlangt werden
  aber man kann auf sie warten
liebe kann nicht produziert werden
  aber man kann eine atmosphäre schaffen
  in der die liebe besser wachsen kann
liebe kann durch kein gesetz verordnet werden
  aber man kann sie sich wünschen
liebe kann nicht genötigt werden
  aber man kann sie hervorlocken
liebe kann nicht erwartet werden
  aber man kann auf sie hoffen

liebe ist nicht nur:
treu sein
die hausarbeit tun
das geld verdienen
den partner nicht verlassen
nicht schimpfen oder sich ärgern
geschenke kaufen
regeln einhalten

liebe ist mehr als eine willensentscheidung
mehr als gute gefühle
mehr als das risiko einzugehen
  einen anderen menschen kennenzulernen
liebe geht über worte hinaus
liebe ist schwer faßbar
  und erscheint in vielen verkleidungen
  die wir erst rückblickend durchschauen
  aber
die liebe weist immer über sich hinaus
zum ursprung und ziel der liebe

lob auf zwei menschen

sie sind verheiratet als wären sie es nicht
weil sie einander nicht besitzen
sondern einander loslassen
damit sie sich entwickeln können
und doch haben sie sich füreinander entschieden
und lieben sich

sie teilen ihr leben miteinander
ohne exklusiv zu werden
und auch unverheiratete
werden mit in ihre ehe hineingezogen
fühlen sich wohl
und bereichern die ehe

sie stützen einander
  ohne auf ungesunde weise
  abhängig voneinander zu werden
sie beurteilen einander
  ohne einander zu verdammen
sie zeigen sich gegenseitig ihre fehler
  weil sie überzeugt sind
  daß sich der andere ändern kann

keiner von beiden ist die kopie des andern
sie spielen nicht rollen
  um das leben einfacher zu machen
  oder weil die gesellschaft es erwartet
schon lange haben sie gelernt
den schmerz als bestandteil der liebe anzunehmen
und sie laufen nicht weg
wenn der schlimmste schmerz
von dem menschen ausgeht
den sie am meisten lieben

ihre liebe erstickt sie nicht
sie dürfen noch meinungsverschiedenheiten haben
sich über einander ärgern
sich auch mal anschreien
ohne einander gleich zu verlassen
oder angst zu haben verlassen zu werden

sie trauen sich so zu handeln
weil ihre liebe eine solide basis hat
und sie auf dieser grundlage stehen
ihre entscheidung beieinander zu bleiben
ist nicht abhängig von jeder kleinen tat
oder jedem wort
sondern von ihrem willen
das wunder der gemeinschaft wahrzumachen

und doch macht diese festigkeit
beide nicht unverletzbar
denn sie haben gelernt daß verletzbarkeit
und die damit verbundenen wunden
einfach zur liebe dazugehören

sie sind stark in ihrer zartheit
und zart in ihrer stärke

sie sind so erstaunlich getrennt
unabhängig von einander
allein
und darum
ist ihr gemeinsames leben so reich

ganz lebendig

dich lieben
heißt lebendig bleiben
werden
sein
und weiter *werden*
als eine tat der liebe für dich

wir dürfen nie von einander erwarten
daß wir unser leben verkleinern
um unsere liebe zu erhalten
weil das der tod unserer liebe wäre

dich lieben
heißt unser verhältnis mit mehr fantasie anreichern
und uns auf unsere ganzheit konzentrieren
mitten in unserer gebrochenheit

lieben heißt
ganz lebendig sein
und ganz lebendig sein
heißt lieben

kleinigkeiten

1
wenn ich sage
›ich kenne dich‹
bringe ich dich in mir um

2
ehe heißt
immer wieder ganz neu
zu lieben beginnen

3
in der ehe
hat der schmerz zwei mögliche wirkungen:
wo er abgelehnt wird
  trennt er
wo er bejaht wird
  bringt er näher zusammen

4
die liebe reift
in dem maße
in dem die liebenswürdigkeit des partners
verschwindet

5
liebe schützt uns manchmal
indem sie uns aussetzt und bloßstellt

6
vielleicht würde sich in unserer ehe
mehr verändern
wenn ich mir selbst
all das sagen würde
was ich dir sage

7
ich muß an den punkt kommen
wo ich weder mir selbst noch dir
  die schuld gebe
und dir und mir vergebe
weil uns vergeben wurde

8
manchmal scheint es unmöglich zu sein
über liebe zu reden

vielleicht können wir dann über folgendes sprechen:
verantwortung
einsatz des willens
entscheidungen
respekt
selbstliebe
verletzbarkeit
wirkungen unserer handlungen
willigkeit schmerzen zu tragen
sich selbst mitteilen
akzeptieren
zärtlichkeit
freundschaft
freiheit geben

und wenn wir darüber geredet haben
haben wir über liebe gesprochen

es ist schön mit dir

deine zarte hand begegnet mir
und dann bin ich überrascht
  meine hand in deiner zu finden
einen kurzen moment nicht mehr zu wissen
wo ich aufhöre und du beginnst

ich gehe mit dir arm in arm durch den park
und wir beobachten den schwan und seine jungen
wie schon vor jahren
und hinter uns
hören wir das lachen unserer kinder

wir schlendern *unsere* einkaufsstraße entlang
  zufrieden nichts kaufen zu wollen
  nichts kaufen zu müssen
  glücklich reich zu sein in unserer wunschlosigkeit
  wenigstens heute

ich rufe dich zum sonnenuntergang
  der heute beinah unecht blendend ist
  und den uns niemand glauben würde
  wenn wir ihn malten

ich beobachte dich beim lesen eines buches
  und verliebe mich ganz neu
  in diesen fremden menschen
  der mir gegenüber sitzt
  und du blickst auf weil du etwas gemerkt hast

ich rufe dich von unterwegs an
höre deine stimme antworten
als wäre ich ein fremder
und kann einen moment lang der fremde sein
meine stimme verstellen
dich eine sekunde lang täuschen
dann aber nicht mehr:
nein ich wollte nichts
ich will nichts fragen
wollte mich nur melden
dich hören
nur so

wir essen beide sehr langsam
und zögern das ende dieser mahlzeit hinaus
weil es gut schmeckt
aber auch weil das ende ein ende ist
hinter das wir nie mehr zurückgehen können

wir ziehen uns beim baden um
und auch jetzt nach jahren
  mutet es mich immer noch seltsam an
dich nackt sehen zu dürfen
und du mich

wir hören unsere kinder im nebenzimmer
nur ihre stimmen
ohne worte zu verstehen
und wir werden beide überfallen
von einem glücksgefühl
wie es kaum stärker zu ertragen wäre
denn in den kindern tut sich das leben neu auf
  so überraschend anders
  so verblüffend frisch
und wir sehen uns selbst wieder anders
als nur als vater und mutter

wir sitzen uns gegenüber
blicken im gleichen moment auf
und das unerklärliche passiert
das unbeschreibliche
das auge in auge
das herz in herz
das verlorengehen ineinander
das sich darin wiederfinden
aber eins sein beim auftauchen

auf der suche nach liebe

1
manchmal suchen wir die liebe
in dem mystischen und geheimnisvollen des lebens
und merken dabei nicht
wie wir uns schon von der liebe entfernen

wir merken nicht
daß das mystische in alltäglichkeit verkleidet
  erscheint
im brot auf dem tisch
in dem öffnen und schließen meiner hand
in dem blick den ich wahrnehme

das ist die umwandelnde gegenwart
der liebe gottes

2
manchmal suchen wir die liebe
im äußeren und greifbaren
und merken dabei nicht
wie wir uns schon von der liebe entfernen

wir merken nicht
daß die sichtbare welt
nur die lose verhüllung der wahrheit ist
und daß die wahrheit wartet
durch die stillen türen unseres herzens
in unser leben einzudringen

3
wenn wir der welt begegnen
mit einem herzen das gott verändert
erhellt durch gnade
erleuchtet durch die perspektive des leidens
dann werden alle phänomene der welt
auf eine erscheinung reduziert:
die gegenwart gottes
in der inneren und äußeren welt
und es wird uns klar werden
daß die innere und äußere wirklichkeit
sich in jeder kleinigkeit decken

das ist der anfang der begegnung mit gott
das ist die endliche rückkehr zu unserem ursprung
leben und sein von-und-zu-ihm-hin

4
dann wird die liebe untrennbar
  mit gott verbunden sein
und das erleben mit gott
  wird das verstehen der liebe sein

inhalt:

drei ehen: 7

der dialog des schmerzes und der freude

durch schmerzen verbunden 12
wenn wir uns erkennen 14
entscheidung zu heiraten 16
wenn ich neben dir aufwache 18
wenn ich dir gefallen will 20
unter druck 22
einen augenblick 23
alles läuft glatt 24
bitte laß mich 25
dich »erkennen« 26
müdigkeit 29
ich möchte vor dir fliehen 30
wir wollen drei ringe tragen 32
wenn ich nicht weiß was ich will 33
überlegung 34
vorschläge 36
du predigst wieder 37
einheit und einzigartigkeit 38

allein zusammen

allein zusammen 40
rechte 41
auswege 42
ärger redet 46
aufwärts oder abwärts 47
wenn ich mich weg von dir bewege 48
schwere stille 49
geheimnis 52
die arbeit der liebe 53
loslassen 55
sehnsüchtig 56

forderungen 57
mehr raum zum wachsen 58
in der stille dieser nacht 60

was passiert hier eigentlich?
was sagst du wirklich 62
alles für gott 64
verstecken 65
wenn ich nur 67
entscheidungen treffen 68
das »wie-konntest-du-nur« spiel 70
karikaturen der ehe 71
alles füreinander sein 74
sexperten 76
vergib mir 77
ein schwieriges zeichen der liebe 79
verschiedene perspektiven 80
eine sammlung von blicken 83
um der kinder willen 84
wachsende ehe 86
anerkennung 89
um gottes willen 91
liebe ist nicht der natürliche zustand 93

danke für . . .
danke 96
die liebe geht über worte hinaus 100
lob auf zwei menschen 102
ganz lebendig 105
kleinigkeiten 106
es ist schön mit dir 108
auf der suche nach liebe 111

das foto von waltraud und ulrich schaffer auf seite 112 wurde von hans wiebe gemacht.

weitere bücher von ulrich schaffer

im oncken verlag:

trotz meiner schuld 9. auflage
gedanken und gebete

kreise schlagen 9. auflage
gedanken, gebete, gedichte

umkehrungen 7. auflage
gedanken, gebete, gedichte

gott was willst du? 6. auflage
nachdenken über psalmen

je 64 seiten, kartoniert

der turm 4. auflage
gleichnisse
96 seiten, kart., graphiken

mit kindern wachsen 2. auflage
meditationen, zwiegespräche, gebete
128 seiten, kart., mit fotos des autors

journal 1. auflage
tagebucheintragungen eines jahres
328 seiten, kartoniert

im r. brockhaus verlag:

ich will dich lieben 11. auflage
meditationen über die liebe
64 seiten, tb-nr. 2007

jesus, ich bin traurig froh 6. auflage
fragantworten und selbstgespräche
64 seiten, tb-nr. 2010

das schweigen dieser unendlichen räume
erzählung 2. auflage
96 seiten, kartoniert

fotobände von ulrich schaffer

im oncken verlag:

im aufwind 4. auflage

80 seiten, 40 ganzseitige schwarz-weiß fotos

dieses buch führt in die stille, zu den tiefen fragen unseres lebens, zum gespräch mit sich selbst und mit gott. fotos und texte bilden eine einheit. sie führen zum nachdenken und weiterdenken.

überrascht vom licht 3. auflage

80 seiten, 36 ganzseitige farbfotos

die fotos von ulrich schaffer preisen die schönheit der schöpfung, die texte sprechen von der einsamkeit des menschen, seiner bedrohung. die bilder nehmen den betrachter mit in eine welt voll faszinierender formen und farben. alles wird zum gleichnis, zum denkanstoß, zur frage an gott.

wurzeln schlagen 1. auflage

80 seiten, 36 schwarz-weiß fotos

ein aus dem fels herauswachsender baum mit langen, über das gestein kriechenden wurzeln – nebel zwischen hohen kiefern – holzmaserungen – kleines boot unter einer riesigen felswand – blühende bäume – flößerholz am ufer – licht widerspiegelndes watt begleiten die texte eines gesprächs zwischen menschen über letzte und vorletzte fragen.

ulrich schaffer
wurde 1942 in pommern geboren. die familie wohnte nach der flucht in den westen zunächst in bremen und wanderte 1953 nach kanada aus. mit 16 jahren begann ulrich schaffer zu schreiben und zu malen (1964 und 1965 erschienen seine ersten gedichtbände), später kam die fotografie hinzu.

1961 beginn des germanistik-studiums in vancouver, 1965/66 ein studienjahr in hamburg. seit dem sommer 1970 arbeitet ulrich schaffer als dozent für europäische literatur am douglas college in vancouver.

er ist verheiratet und hat zwei töchter – eine tatsache, die sich im vorliegenden band niedergeschlagen hat.

in der jugendarbeit hat ulrich schaffer seine entscheidenden geistlichen impulse erhalten. und so wendet er sich denn auch in seinen büchern schwerpunktmäßig an jugendliche und junge erwachsene. ihre nöte und probleme, fragen und zweifel, glaubenskrisen und gotteserfahrungen will er in seinen büchern zur sprache bringen und so seinen lesern helfen, den graben zwischen glauben und leben zu überwinden und inmitten des alltäglichen gottes wirklichkeit zu erleben.

»ich lebe vom gespräch«, sagt ulrich schaffer von sich selbst – vom selbstgespräch, vom gespräch mit anderen und vor allem vom gespräch mit gott. auch seine bücher wollen keine monologe sein, die letztgültige wahrheiten verkünden, sondern den leser zum dialog einladen.

vielleicht ist dies eine erklärung für den erfolg des autors, dessen bücher in deutschland christliche bestseller sind und inzwischen auch in den usa, england und holland auf ständig wachsendes interesse stoßen.